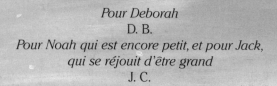

Pour Deborah
D. B.
Pour Noah qui est encore petit, et pour Jack,
qui se réjouit d'être grand
J. C.

Traduction :
Laurence Bourguignon
© 2002 - Mijade (Namur) pour l'édition française
© 2000 - David Bedford pour le texte
© 2000 - Jane Chapman pour les illustrations
Titre original: Big Bear Little Bear!
Little Tiger Press
(London)
ISBN 2-87142-325-3
D/2002/3712/13

Imprimé en Belgique

Quand je serai grand

Jane Chapman

Mijade

Petit Ours aidait Maman Ours à retirer la neige
qui s'amoncelait devant leur tanière.
«Comme ça, tu auras plus de place pour jouer», dit Maman Ours.
«Tu commences à devenir grand, maintenant.»

« Un jour, je serai aussi grand que toi », dit Petit Ours.
Et il se dressa sur ses pattes de derrière
pour se faire le plus grand possible.

Maman Ours se dressa à son tour.
« Tu peux bien manger si tu veux être
aussi grand que moi un jour ! » dit-elle.
« En tous cas, quand je serai grand,
c'est moi qui gagnerai quand nous jouerons
à nous battre dans la neige », dit Petit Ours.
Se battre dans la neige était le jeu favori de Petit Ours.

«Tu peux bien t'y mettre si tu veux gagner
contre moi un jour», dit Maman Ours en souriant.
Elle fit rouler Petit Ours d'un côté,
puis de l'autre, et Petit Ours se mit à rire.

Petit Ours secoua la neige qui feutrait sa fourrure.
« Quand je serai grand, je courrai aussi vite que toi »,
dit-il à Maman Ours.
« Tu peux bien t'entraîner si tu veux courir un jour
aussi vite que moi ! » dit Maman Ours.

Petit Ours s'élança comme une flèche
et se mit à courir de toutes ses forces,
mais sa mère eut vite fait de le rattraper.
« Allons, Petit Ours, plus vite ! » lui cria-t-elle.
« Je ne peux pas ! » haleta Petit Ours.
« Je ne suis pas encore assez grand ! »

« Je vais te montrer comment c'est
quand on est grand »,
dit Maman Ours.
« Monte sur mes épaules ! »
Petit Ours grimpa sur les épaules
de Maman Ours.
De là-haut, il pouvait voir
jusqu'au bout du monde,
et en levant les pattes,
il pouvait presque
toucher le ciel.
« Voilà comment c'est,
quand on est grand »,
dit Maman Ours.

«Courons!» dit Maman Ours,
et elle se mit à courir de plus en plus vite.
Le vent fouettait le museau de Petit Ours
et couchait ses oreilles vers l'arrière.

«Quand je serai grand,
moi aussi je courrai comme ça!» s'écria-t-il.

Soudain, Maman Ours s'élança en l'air.
Petit Ours vit le monde défiler sous lui.
«Je vole comme un oiseau!» s'écria-t-il.
Mais quand il comprit où ils allaient retomber,
il rentra bien vite la tête dans les épaules!

Avec un grand PLOUF!
Maman Ours plongea dans l'eau froide.
Elle se mit à nager,
Petit Ours fermement accroché à elle.

Petit Ours regardait comment
Maman Ours faisait bouger ses pattes.
Il essayerait de l'imiter, la prochaine fois
qu'il irait barboter dans l'eau.
« Dire qu'un jour, moi aussi
je nagerai comme ça ! » s'émerveilla-t-il.

Maman Ours remonta à la surface,
Petit Ours toujours accroché à elle.
« Est-ce que je serai vraiment
aussi grand que toi, un jour ? »
lui demanda-t-il.

« Tu seras même plus grand »,
lui dit sa mère.
« Tu courras plus vite,
tu sauteras plus haut,
et tu nageras encore
mieux que moi, mais…
je préférerais que ça
n'arrive pas trop vite. »
« Pourquoi ? »
voulut savoir Petit Ours.

« Parce qu'alors, tu ne pourras
plus monter sur mes épaules »,
répondit Maman Ours.
Elle prit avec Petit Ours
le chemin du retour.

Quand ils arrivèrent enfin à la tanière,
Petit Ours tombait de fatigue.
Il y avait de quoi : il s'était battu dans la neige,
il avait couru, nagé, il avait même volé !
« Tu pourras encore me serrer contre toi,
n'est-ce pas, quand je serai grand ? »
demanda-t-il à sa mère d'une voix ensommeillée.
« Et tu sais », ajouta-t-il, « j'aimerais mieux
être tout à fait comme toi quand je serai grand.
Je n'ai pas envie d'être plus grand. »

« Ne t'inquiète pas pour ça »,
lui dit Maman Ours en le serrant contre elle.
« De toute manière, quoi qu'il arrive… »

«…tu seras toujours mon Petit Ours à moi.»

Rassuré, Petit Ours ferma les yeux.
Il enfouit son museau
dans la fourrure tiède de sa mère,
et tous deux s'endormirent,
bien à l'abri dans leur caverne.